JUMP COMICS

NARUTO ―ナルト―

巻ノ三十四

再会の時…!!

岸本斉史

うちはサスケ

綱手

サイ

薬師カブト

大蛇丸

ヤマト

前巻までのあらすじ

木ノ葉隠れの里、忍術学校の問題児だったナルトはサスケ、サクラと共に忍者の仲間入りを果たす。中忍選抜試験の最中、大蛇丸の"木ノ葉崩し"が始まるが、火影の命を代償に一旦終結し、五代目の火影に綱手が就任した。大蛇丸の「力」に魅せられて、里を出ようとするサスケと激闘を展開したナルトだが、止めることは出来なかった…。

それから二年余。修業を終えたナルトたちは、再び「暁」と対峙した。その戦いの中で手にした情報で、「暁」のスパイと接触する任務に挑む新カカシ班。だが、ナルトの暴走により作戦は失敗する。

そしてサイの裏切りにより作戦は失敗する。サスケを求め、大蛇丸を追うナルトたちは!?

NARUTO
ーナルトー

巻ノ三十四

再会の時…!!

もくじ

変な絵

…サイの描いた絵か

カブト…そういうのは帰ってからにしなさい

いえね…
なるべくすぐに
血を落として
おかないと

切れ味が
あっという間に
落ちてしまうん
ですよ…

それより
大蛇丸様…

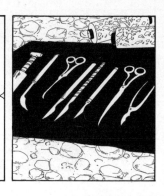

まだストックは
持ってるでしょ？

帰ったら
無傷の男の
死体を

早急に一つ
頂けますか？

…………!?

ええ
…………

ただ十五・六歳の
男の死体はさっきので
無くなりましたから

巻物の中は常に
年齢順にきちんと
保存しておかないと
落ち着かなくて

女　男　男　男　○　男

カブト…

アナタА型だったかしら‥？

いえ…АВ型ですけど…

……！

……

……

……

無い…

ではそろそろ行きましょうか…

アジトまでもう少しですからね

いえ…何でも…

どうかしたの…サイ…とやら?

でもね…この絵本…

‥‥‥‥

真ん中の見開きのページだけ絵がおかしいの

これ…

何か気味悪いってばよ…

別のページは全部ちゃんと描かれてるのに…

どんな内容なんだい？

それが分かればサイのことが少しは分かるかも知れない…

何か…

本の表紙と裏表紙に描かれてる二人の少年の物語みたい…

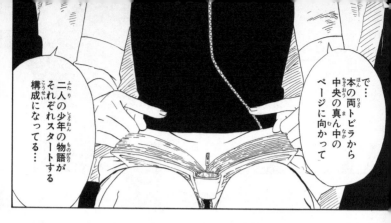

で…本の両トビラから中央の真ん中のページに向かって

二人の少年の物語がそれぞれスタートする構成になってる…

セリフや文字は一切無し

…どんなストーリーなんだってばよ？

それが…良く分からなくて…

この黒髪の少年の方から見てみると…

パラパラ

ホラね…

………

左ページはページごとに
違う人が描いてある…

常に右ページが
同じ少年で…

アレ…!?

これちょっ…
戻してみて！

？

やっぱり…

この子供の方…
次のページに
なると
少しカッコが
変わってる

しかも
ホラ…

前のページの
左に描かれてた
奴の武器と
同じのを持ってる
…

どうやら少年が敵を倒していくお話みたいだね…

これ…

戦った敵の武器や鎧を奪い取って行ってるんだ…

やっぱり…次も…その次も

敵と戦って少年たちが成長していくお話か…

配置は逆だけど…

この白い髪の少年も同じ様になってる

……………
何かさァ…

黒髪の奴の方
サイに似てない?

じゃあこの
白い髪の少年は
誰なんだろう…?

…そうね…

自分を描いて
いたのか…

これは兄さんのだからね

それに他人には
渡さない事に
してるんだ

…これ
まだ
完成してないから

……!

もしかして…

サイの…
お兄さん…

？

‥‥‥‥

‥‥‥‥

兄さん
もう死んでるし

じゃあコレ…
中央の
見開きって…

サイと…
お兄さんが…

そろそろ
行こう…

どうやら
分身のボクが
アジトを
つきとめたようだ

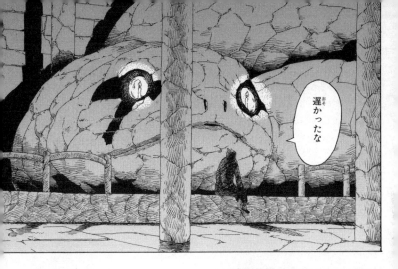

遅かったな

午後から新術の修業に付き合うって話じゃなかったか
…大蛇丸

また そんな言葉遣いを…

そう 怒らないで

代わりに今日はちょっとしたプレゼントが手に入ってね…

アナタと同じ木ノ葉出身の忍…

懐かしい故郷話でも出来るんじゃなくて…

ドン

ナンバー
301
‥サイとサスケ‼

…今度こそ

私たちでサスケ君を……

？

ナルト

あぁ…

初めましてボクはサイと言います

君がうちはサスケ君で…

失せろ

………

………

ナルト君にも嫌われたばかりだってのに…

ボクは何かと嫌われやすいタイプみたいだ…

笑顔を作ってはみても

………

………………

………………

でも…
ナルト君と
比べれば

君との方が
仲良く出来そう
なんだけどな

………………

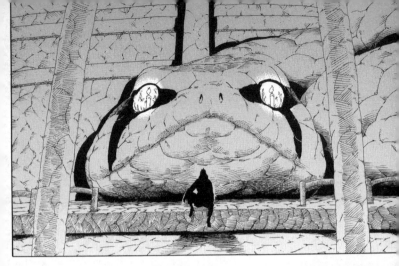

汗……？

！

目を見合わせただけで…
自分でも認識出来ない
心の奥底で
サスケ君を恐れたというのか…？

何も感じない…
感情の無いボクが…

あまりサスケ君をおちょくらない方がいいわよ

私より厄介だからね

．．．．．．．

そんな奴はどうでもいい

これから今すぐ付き合え大蛇丸…

君の事はナルト君から色々聞いてます

君の事をずっと捜していたみたいだ

この三年間…

いたな…

そんな奴も

大蛇丸…

行くぞ

ナルト君は
君の事を…

…………

…………

そう
サクラさんから
聞きました

君の事を
本当の兄弟の様に
思っていると…

……

オレの兄弟は…

殺したい男…
ただ一人だけだ

じゃあ
私も行くわ

カブト…
コレでビンゴブックを
作っておきなさい

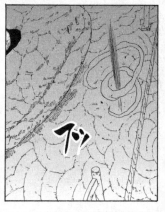

ドッ

これは…

タッタッ ドッ ドッ

火影直轄部隊…
暗部構成員の
リストの写しか…

暗殺戦術特殊部隊1班

影

どうやら
本物の様だな

…………

ここか…

入り口は正面にあるあの岩場の下だ

…うん

あの下に…

…サスケがいる…

よし…

行くってばよ

トン

！

ちょっと待て

ドッ

ズズズ

？

行くのは
コレを飲んでから
だよナルト

ホラ
サクラもだ

ドッ

この種は
簡単に言うと
追跡用の
発信機だよ

ボクの
チャクラとだけ
共鳴する忍具だ

…これって

もし
バラバラに
なったとしても

これで君たちの
居場所が
すぐ分かる

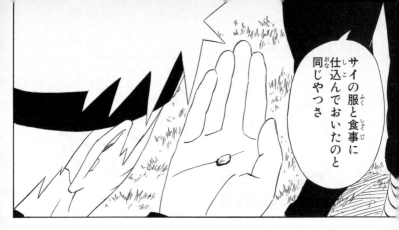

サイの服と食事に仕込んでおいたのと同じやつさ

・・・・・そっか

それで追跡出来たんだ

いつの間にそんな事・・・

覚えてる？温泉でボク先に上がったろ…

何でわざわざ自腹まで切って

ボクが豪華な食事と温泉を君たちに堪能させたか

これで分かっただろ

ボクは先に上がるけど

その前にナルト君に一つ面白い話をしておくよ

綱手様の
言った通り
だった

サイには
早目に手を打って
おいて良かった

…っと
そんな事より
すぐソレ飲んで

ゴワッ

よし！
じゃあ
二人とも
行くよ

オッス！

ハイ！

302：潜入…!!

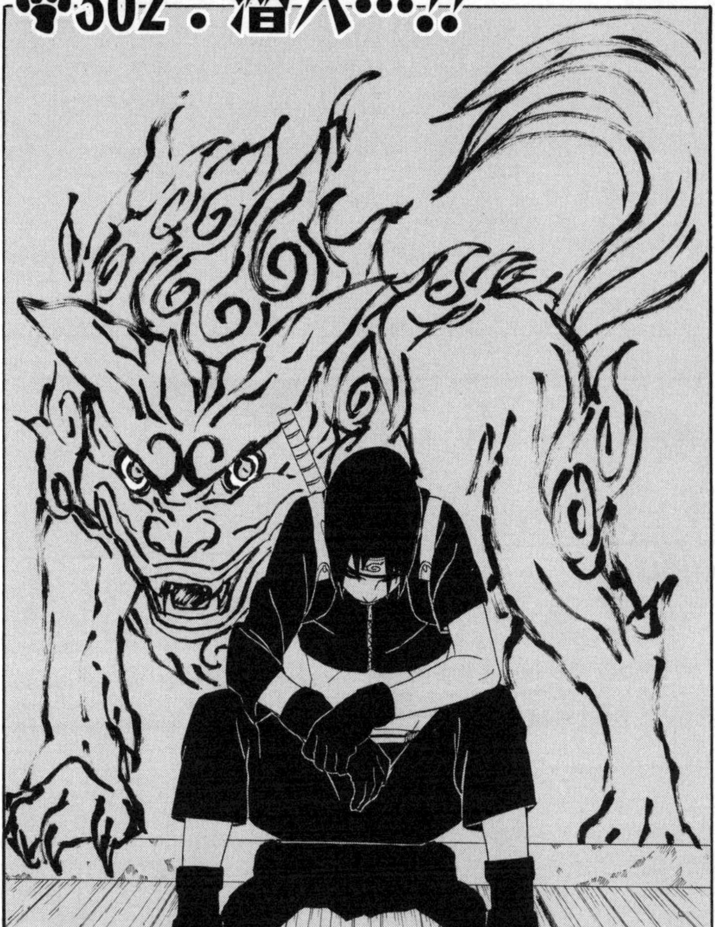

潜入隊列は

ボク…
サクラ
ナルトの順だ

潜入
方法は？

定石通り
土遁で
地下から近付く

………

やっと見つけたぞ…

…お前を…

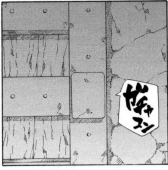

さあ…
中へ…

ここが
君の部屋だ

用が無い時は
ここで大人しく
していてくれ

パア‥

何かあれば
こちらから
声をかける

‥‥‥‥

悪いけど
一応
外から
鍵をかけさせて
もらうよ

君はホラ…

分かるだろ

やはり　アジトは
岩に囲まれてる
みたいだね…

そんな
大きな術したら
すぐに敵に
気付かれるでしょ！

！
ちょい待ち

こんなの
オレの螺旋丸で
ぶっこわしてやる
ってばよ！

…………

…………

じゃあ
どうやって
…！

潜入はあくまで
音も無く…

あった…

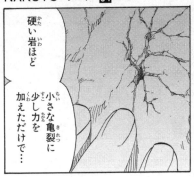

硬い岩ほど

小さな亀裂に
少し力を
加えただけで…

パキン

ホラ
この通り

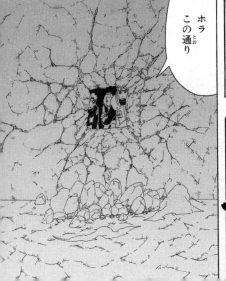

とりあえず潜入は成功ね

こっちだよ

まずはサイを捜す

トッ

大丈夫…
行くよ

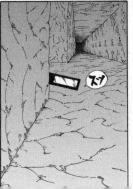

さてと…
さっきとさっきの
ビンゴブックを
作って
おかないと…

また
大蛇丸様に
小言…

…………

！

フ…
A型の方が
部下に向いてる
とも言われそうだな
…これじゃあ

もう少し

やっぱり
ここだったね

・・・・・・！

どういう事か
詳しく
聴こうか

さすがは
火影直轄の
暗部ですね

あの死体で
騙せない
なんて・・・

54

てめー！
何でオレたちを
裏切った!?

‥‥‥‥

ナルト！

てめ——！

ここで
あんまり
騒がない方が
いいよ

厄介な事に
なるから

チィ！

ドシ

‥‥‥‥

……………

アンタ
のでしょ

ほら…
コレ…

ありがとう

そのパイプ役に
アナタが選ばれた

ダンゾウはオロチマルと組んで何かをしようとしてる…

ダンゾウからの命令なんでしょ…

…何を
たくらんでるの
…？

…………

大蛇丸と
木ノ葉崩しを
企ててるね…

もう一度…

そうだろ？

…………

いえ… 違い…

お前の笑顔は
ウソだって
すぐ分かる

お前の言ってる事も
ウソはすぐ
分かんだってばよ！

アナタたちに
ボクが
見つかって
しまった時点で

ボクの任務は
失敗って事に
なりますね

ボク一人で
アナタたち全員は
始末出来ませんし
…

そこまで分かってるなら…

隠しても仕方無いですね

その通りですよ

ボクたちは今の木ノ葉を潰す

トタ
トタ

（大阪府 足くっさいマン☆さん）
○このキャラあぶねー！ ガイ属性って何だ！ ガイ属性って！ こういうキャラは、大好きです!!

（山梨県 シオ太郎さん）
○歌手忍者で面白いです。ただ、すごいオンチなだけのような気もしますが…。そこがいいですね。

（岡山県 茶助さん）
○術の能力からして、なんか人として許せない感じがするのはなぜなんだろう？ とにかくキャッチフレーズでこのハガキを選びました。面白いです。

（静岡県 岡村瑞樹さん）
○注射器がでけー！ キレた時がこえー！ 子持ちの器親忍者！ 子供のためなら何だってしますよ、器をなめてはいけません。子持ちキャラってのがよかったです。

303：サイの裏切り!!

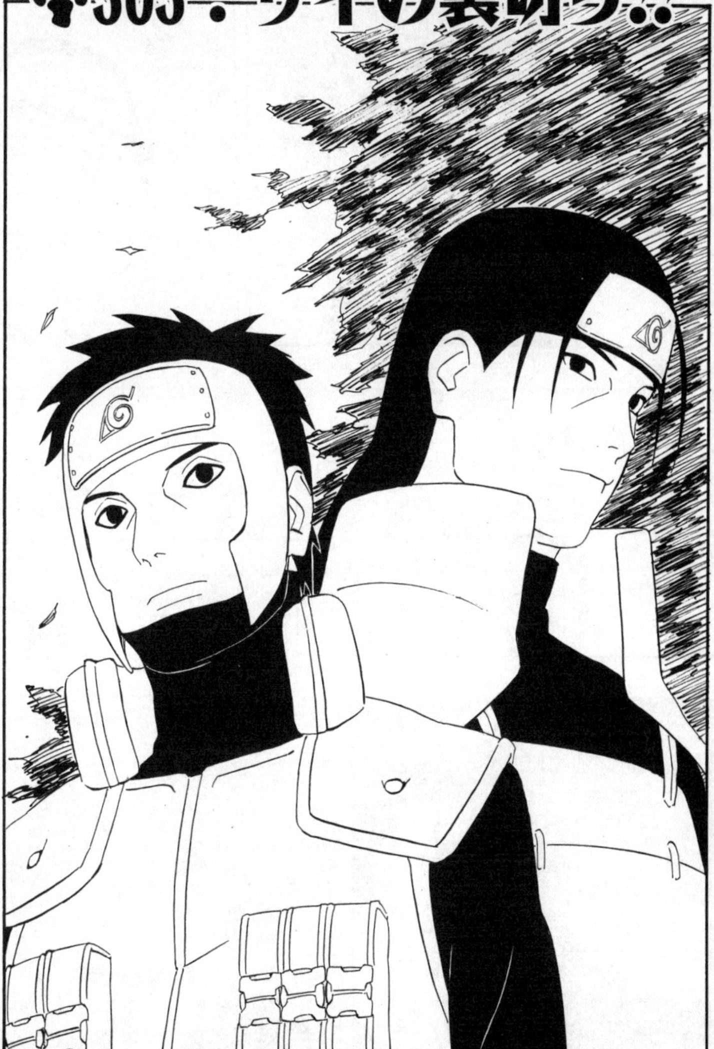

何だと…

木ノ葉を潰す為に大蛇丸に取り入り

結託のきっかけ作りをするのが

ボクに与えられた本当の任務です

……

その調子で続けろ

隠してる事は全部吐くんだ

ドッ

……！

お前 自分が何言ってんのか分かってんのか!?

そんな事…

それだけじゃない…

つまりスパイとしての任務も帯びてるんですよ

大蛇丸の情報をこっそりダンゾウ様に送る役目…

そんな危ない役目を…

大蛇丸相手に結託を申し入れつつ

　…出し抜こうってわけ？

いつでもこちらが優位に立てる様にしておく為だよ

木ノ葉が潰れれば大蛇丸は必ず裏切ってくるだろうからね

ダンゾウは木ノ葉を自分のモノにしたいのね

アナタはたった一人でその為の手回しを…

ボクは能力を買われてこの任務に抜擢されたんだよ

……！

ボクが墨で書いた情報はそれ自体が小動物の様に変化し

自分の身を守りながら情報を外へ持ち出してくれますから

木ノ葉が荒れればまた多くの人が死ぬ！

アナタのやろうとしてる事がどういう事なのか　分かってるの!?

…さあ

命令だからね

サイ…アナタ…

もう一言言うとサイという名はこの任務の為だけに与えられた名…

ボクは誰でもない

……

ボクはダンゾウ様の手足だ

ボクは存在しない

だからボクに何を言っても無意味なんだよ

何故その絵本を大事に持ってるの…!?

だったら…

その表紙の二人の子供…

アナタとお兄さんでしょ

…それはアナタの存在を唯一証明するものだからじゃないの…

・・・・・・

…・・・？

アナタは言うほど感情を捨てきれていない…

・・・・・・

・・・・・・

忍だって感情を捨てきる事は出来ないのよ

アナタがその本を手放したくない理由…

…それは弟としての自分を捨てる事が出来ないでいるから

何故この絵本を持ってる事が

自分の存在を証明する事になるんですか…？

……

何故だか分かる…？

アナタにとってはそれだけお兄さんとのつながりが大切だったからよ

アナタは
お兄さんとの
つながりを
消したくないと
思ってる…

…………
…………
つながり…
…………

中央の見開きだけ
絵が未完成に
なってる

悪いけど
絵本の中身は
見せてもらったよ

…………！

絵本の流れで
いくと

中央の見開きで
君とお兄さんが
戦う事になる…

サイ…

君が暗部の
"根"の者だって事も
知ってる

ダンゾウによって
感情を殺すための
特別な訓練を受けて
いた事も知ってる

君は
お兄さんを…

……………

感情を
奪う為に

血霧の里・霧隠れで
かつて行われていた
悪習と同じだ

……

……

……

違う！

…病気で死んだ

でももう少しで絵本が完成するって時に兄さんは…

これは兄さんにプレゼントするつもりだった

ボクの絵をよく褒めてくれたんだ

血はつながってなかったけど

……

その中で兄弟の様に親しくなったのが兄さんだった

"根"には戦いで生じた離散家族の子が多くいてね

・・・・・・・

何を描こうとしていたのか思い出せないんだ

この絵本…兄さんに一番見せたかった最後の見開きの絵が…

兄さんが死んでから…

・・・・・・・

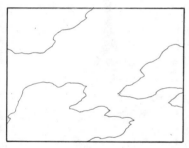

こっから仕切り直しだってばよ…

残念だけどサイ…

君はここで分身のボクに見張らせておくよ

サスケを助け出す！

……………

……………！

…止めた方がいいよ

ボクはサスケ君に会った

サスケ君には常に大蛇丸がついている

深追いすればバラバラにされて実験体になるのがオチだよ

それに…

…………

74

サスケ君は君の事を
何でもないと
言った…

サクラさんは君が
サスケ君の事を
兄弟のように思って
いると言っていた

………

それなのに
…

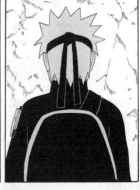

そんな彼の事を

君はあの大蛇丸に
歯向かってまで…

命を懸けてまで
連れ戻そうと
するんだ?

…何故なんだ
…?

誰に命令されている
訳でもないのに…

………

昔オレはサスケの事が大嫌いだった

…でも一緒にいてホントはスゴく楽しかったんだってばよ

あいつは…

誰よりもオレの事を認めてくれた一人だ

…サスケはオレの友達だから

やっと出来た大切なつながりだから…

つながり…

76

だからって
・・・

オロチマル
大蛇丸
相手に・・・

腕がもがれりゃ
ケリ殺す

脚がもがれりゃ
噛み殺す

首がもがれりゃ
ニラみ殺す

目がもがれりゃ
呪い殺す

・・・・・・

たとえ
バラバラに
されようが

オレは大蛇丸から
サスケを奪い返して
やるんだってばよ！

（イタリア AURORAさん）

○植物的なイメージのキャラですね。口寄せキャラが
コアラということは、ユーカリのキャラに違いない。
イタリアの方はいいセンス持ってらっしゃいます。

紫鬼いずな

幼い頃から
医療忍者に
なりたかったのに
医療忍術の
スキルがまたもや
ど0口!!!
ハ゜ンで飛び出した。
最近の夢は
『暗部に入って
右にハートマークを入れ
プリソリの取り革かえること!』
火影の事は1000倍
難しくなった。

（福岡県 ミミさん）

○絵がすごくうまいし、キャラ付けもすごくネタが面白いです。
もしやプロの方…。いいキャラです！岸本脱帽です。

三忍完女きんにんかんじょ

桃花ももえの花　屏風びょうぶ

雪洞ぼんぼり　?

3人で一緒に行撃する離華祭りという技が
ある。第12手目まであい、12手目をうけると必ず
敵は死ぬ。キレさせると超コっち…。

（佐賀県 3月3日は？さん）

○なんだろ…なんかすごいこれなんだか分かんないけど、
このキャラ達怖いんですけど、それぞれのキャラの表情とは
真逆に行動しそうで、怖いです。
こういうインパクトがあってことで選びました。

やまのヨモギ

実家は、おだんご屋さん。
将来の夢は、腕確かな大工。
やさしきがんこそう。
忍大物が始まってから
大工になる決心しましたが
その前は、
実家の
だんご屋を継ぐ
つもりだった。
壊れない建物を
目指して
います。

福

（東京都 ダルマさん）

○ダルマ打ってなつかしいです。よく思いつきましたね
こんなアイデア！細身で大工になりたい、けなげなキャラ
っていいです。

ナンバー304：
裏切りの裏側!!

見張りを作ったら行くよ

サイ…
その様子から
すると

君は捕まった
ようだね

！

裏切ったわけ
じゃなさそう
だから…

ここは
信じよう

…しつこいわね

お前ら
邪魔するっ
てんなら

容赦は
しねェって
ばよ！

……

84

そっちの話じゃあない…

違う

やってみるまで分かんねーだろーが!!

…ホントに憐れだよ

君を見てると

人は変わる

サスケ君は もう昔のサスケ君じゃないんだよ

………

!?

………

な!?

....!

!?

!?

なに!?

人は変わる…

なら

ボクもそうだ

どういうつもり

だ…!?

…でも
変わらない
モノもある…

…つながり…

それを
確かめたいんだ

…サイ…

…お前…

サイ！
そのまま
捕まえてなよ

…サイ…

………

サイ…
お前…一体…

………

君が何故 そこまで
サスケ君との
つながりに
こだわるのか…

その
つながりってのが
何なのか…

知りたくなって
ね…

…ボクも
兄さんとの
つながりってのを
消せないでいるらしい

君たちから
見たら…

ボクにとって
それがそんなに
大切なモノなら

君とサスケ君の
"つながり"を見れば
何かが分かるのかも
しれない

そう思った
だけさ…

・・・・・・・

クク…
ククク…

君たちは本当の
サスケ君を
知らない……

何がおかしいの!?

・・・・・・・

サスケは
どこにいる?

ここでは
いくつもの部屋が
バラバラに並んで
いる

手当たり次第に
調べれば
見つかるかもね

今頃 修業を終えて
さらに奥の部屋に
いるだろう

・・・・・・・

ただ ヘタすると
藪をつついて
蛇を出しかねないよ

大蛇丸様の居室も
そこにあるからね

正直に話してくれて
ありがとよ

いや
礼には及ばない
よ

それこそ
やってみるまで
分かんないよ

・・・・・・

返り討ちに
あうと?

ああ

ここから
2チームに分かれて
サスケを捜す

ボクとサクラ
ナルトとサイの
2チームだ

何かあったら
チャクラを練るんだ

それだけで体内の
木の種が反応を
示すから

すぐに
駆けつける

……………

サスケ…

…………

ここにも
いない…

ハァ ハァ

あぁ！

次のフロアへ
行こう

ここのフロアは
この部屋で
終わりだ

タタッ

ぐっ！

ドサッ

…まったく…
君はよく似ている

？

兄さんにだよ

…口やかましく
慌てん坊で

…品が無くて…
それにチン…

まあそれは
いいや…

…………

君を
見ていると
何だか
兄さんの事を
…

だけど…
そう…

君のように
何をするにも
必死だった

思い出したんだ…

思い出した…

それって…

！

兄さんに
見せたかった…

二人の
夢の絵を…

サイ…アナタはどちら側につくのかしら？

さて…

鈴風硝子

第4段

（北海道 ろくごよんさん）
○ ガラスのアイデアが面白そう。女の子なのに男勝りで
かっこいいところが気に入りました。

空時

操 男(14才)

名前のとおり、空間と、時間を
あやつってた

時事眼

（兵庫県 にわとりさん）
○ 時空間忍術を使うのですね。四代目火影と同じ忍術！
つまりかなり強いハズ！

ラセン

（岩手県 桜庭海悠さん）
○ 術と名前と性格がピッタリですごいです。
捻くれたキャラでも、真っすぐな行動をとる時
けっこう泣いたりするんだよね。好きな人の為に…とかね。

上忍 福内 ダルマル

ダルマを ガ○○ハンマーみたいに
なげて攻撃する

めんどくさがり

世話好き

必勝

（香川県 NARUTO大使さん）
○ やる気のなさそうな顔がイイ！ めんどくさがりの
くせに世話好きとは、よく分からんキャラですが、
それを打ち消すぐらい、ダルマがいつでもいいです。

潜影蛇手

やはり
そちら側の
ようね…

サイと
やら

ナンバー305：キミとのつながり

ここはオレが止めるってばよ

サイ　お前はサスケを捜してくれ

分かった…　サスケ君はボクが見つけて助け出す

早く！

……

タタッ

サスケ君を
連れ戻しに
来たってわけね

君の執念は
凄いけど
そう上手く行く
かしらね

ああ！

お前を
倒して

サスケを
連れ帰る！

ザッ

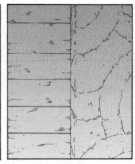

ここも
いない…

⁉

チャクラだ
ナルトの

何かあった
らしい…
行くよ！

……………

はい！

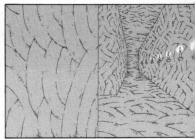

行

サラ サラ サラ

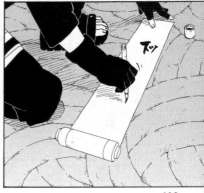

スッ

また
大蛇丸か…

！

ザッ

ザッ

フン…

…せいぜい
"暁"を一人でも
多く始末して
ちょうだいね…

ナルト君…
君はまだ
生かしといて
あげるわ

……………

フッ…

それより
私はサイの
方に用が
あるから…

これで
失礼するわ

フー…

くっ…！

サイはサスケを捜してるってばよ！

オロチ丸に見つかる前に何とかしなきゃ

サイは？

ヤマト隊長と
サクラちゃんは
そっち側を

チャクラ
使い切っちゃうけど
多重影分身で
捜すから

これって…

それは
兄さんに
見せたかった
二人の夢の
絵なんだって
ばよ

あいつ…
思い出せた
んだ…

・・・・・・

106

二人とも
笑ってる…

あいつ…
その絵
描いた時

…心から
初めてホントに
笑ってた

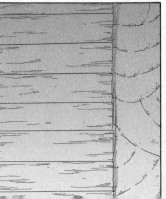

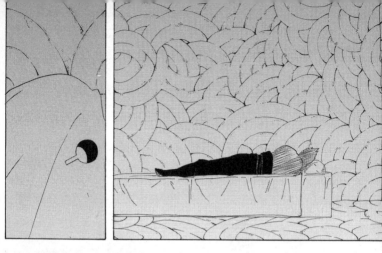

これは…

どうしたんですか？

！

スゥゥ‥

ゴロ

スゥゥ‥

…サイの
バッグの
中に
あった…

これは暗部の者が
己のターゲットを記す
暗殺リスト

いわば
ビンゴブック
だ

暗殺
リスト？

これはおそらく
ターゲットを
すでに
抹殺したという
印だろう

…この×印
何なんです？

…………

!?

！

何でそんなものを
サイが…

パラパラ

うちは サスケ

見(み)ろ…

こ…
これって…

…何(なん)で
サイの
暗殺(あんさつ)リストに…
サスケの
顔(かお)が…？

まだ×印(ばつじるし)が
付いていない
…

………
そうか
そういうこと
だったのか…！

どういうこと
だってばよ!?

サイ…
あいつの任務(にんむ)は
大蛇丸(オロチマル)とダンゾウの
パイプ役(やく)になること
なんかじゃなかった…

本当(ほんとう)のサイの
極秘任務(ごくひにんむ)は…

………

サスケの暗殺だったんだ

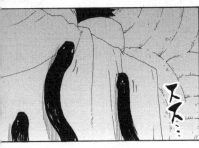

ズズ…

だってさっきあいつはサスケを助けるって…

それにホントに心から笑ってたんだ…

…今までと違ってあいつはもう…

それが全部ナルトを出し抜くための芝居だったとしたら…！

そんな…

そんなことあるわけねーってばよ！

霧隠れの上忍で
木ノ葉に対し強硬姿勢を
示していた男だ…

このサスケの隣に
載ってる男…

これを
見ろ…

…このビンゴブックの
持ち主ならやりかねないよ

そういえば…
私が
サイを殴った時

笑顔は目的を
達するために…

・・・・・・

サイは木ノ葉に対する
危険人物の処理に
あたってたのか…

そして
サスケも
その人物の
一人…

・・・・・・

厄介事をやり過ぎずには
意外とみんな騙される…
…そう本に書いてあった

笑顔が一番
それが作り笑いでもね

ダンゾウの目的は大蛇丸の新たなる肉体…サスケを葬ることだった

そのためにサイは大蛇丸に近付こうとしたんだ

木ノ葉を裏切ったワケではなかった木ノ葉のために…

木ノ葉のために…武闘派の考えそうなことだ

早くサイを見つけるんだ!

…誰だ?

トス…

バレちゃいましたか…

でも…ボクはもう先手を取ってる

目的は何だ?

……ボクは君を…

木ノ葉へ
連れ帰る！

……

もっとも
最初は

キミを
殺すつもりで
来たんだけど…

……

サスケ君の事を
兄弟みたいに思ってるから

ナルトは…

誰よりもオレの事を
認めてくれた一人だ

あいつは…

その仲間を救う為なら
なんだってやるさ

お前とだって
組んでやる

たとえ
バラバラにされようが…

オレは大蛇丸からサスケを
奪い返してやるんだってってばよ！

サスケはオレの
友達だから…

やっと出来た
大切なつながりだから…

…ボクは　彼が必死に
たぐり寄せようとしてる
キミとの"つながり"
ってのを

守ってみたいんだ

（愛知県　つぶぶぶぶぶぶさん）

○まずペンネームが長い！…とそこは置いといて。
麺をその場で打ってっての気に入りました。

うちどめ がビョウ

（東京都　井上莉沙さん）

○違法チラシを貼ったら3時間の説教聞かされるとは、
いやな先輩タイプだね。でも、かっこいいから選びました。

習リンリン

（兵庫県　尾崎沙耶香さん）

○かわいいですね──素朴なかわいさが
よく出ていて、名前もよくキャラに合ってますよ。

音議箱 ビンスイ

（北海道　北本晶子さん）

○音をうまく使ったキャラで、アイデアがすばらしい！
見た目もいい感じです。

306：再会の時…!!

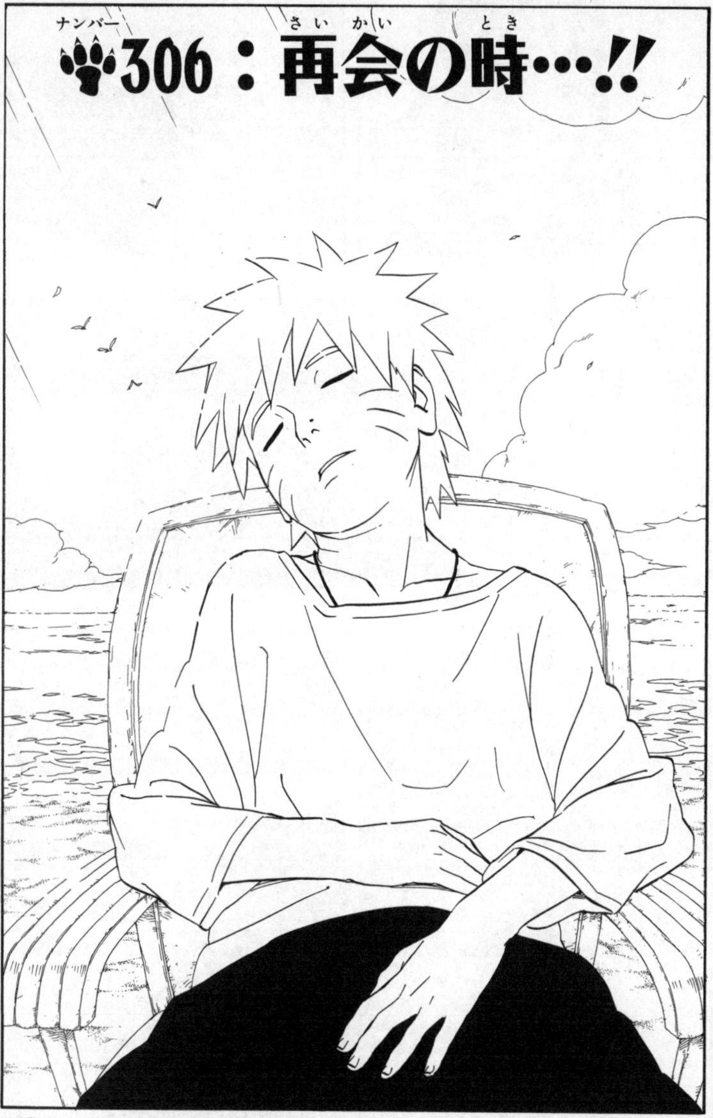

………

つながり…？

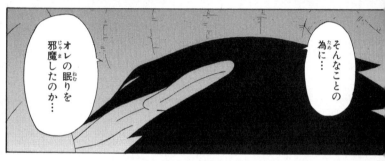

そんなことの為に…

オレの眠りを邪魔したのか…

タタタッ

ボン

タタッ

ダダダダダ

ズ

ドッ

サスケ君か…

寝起きは機嫌が悪いからね…

あの子は…

何だ…？

！

！

……

グラ グラ

！？

何だ！？

ゴゴゴ"

……！

サイのチャクラだ

……あっちの方ね

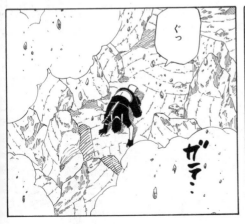

ぐっ

ガテ

ガテ ガテ

ね…

さすがです

ボクの術を
強引に振りほどく
とは

アンタ！
本当は何が
狙いなの!?

私たちを
何回裏切れば
気が済む…

サクラか…

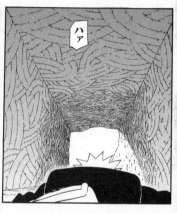

…サスケ…

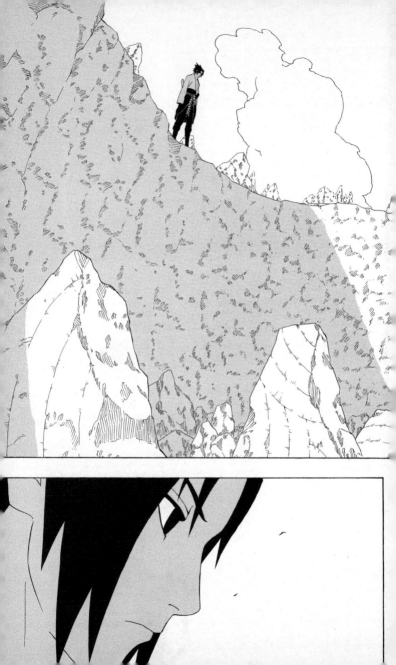

カカシさんじゃなくて残念だけど

ボクが代理だ

これからカカシ班は君を木ノ葉へ連れ帰る

カカシ班か…

…
！

アナタ
やっぱり！

サイ！

！

また
ぬるい奴が
入ったもんだな

ナルトとオレの
つながりを守りたいだの
何だの言ってたが……

そいつがオレの
穴埋めか？
……

138

……え？

……………

確かにボクの極秘任務の命はサスケ君の暗殺だった…

けど命令はもういい…

今は自分の考えで動きたい

…ナルト君が思い出させてくれそうなんだ…

ボクの昔の気持ちを…

……………

何かとても大切だった気がするものなんだ…

ボクは君の事を良く知らないけど…

ナルト君やサクラさんがここまで必死に君を追うのには何か訳がある…

君とのつながりを切るまいと…

つなぎ止めておこうと必死になってる…

………

けど サスケ君君には分かってるハズだ

ボクにはまだハッキリとは分からない

140

ああ
分（わ）かってた

だから
断（た）ち切った

……！

……！

オレには
別（べつ）の
つながりが
ある…

……

……

……

？

兄との憎しみっていうつながりがな…

何故弱いか…
足りないからだ…

いくつものつながりは己を惑わせ

最も強い願い大切な思いを弱くする

憎しみが…

親も兄弟もいねえてめーに…オレの何が分かるってんだよ…

……………

初めから独りきりだったてめーに!!オレの何が分かるってんだァァア!!!

つながりがあるからこそ苦しいんだ!!それを失うことがどんなもんかお前なんかに…

ホントの親子や兄弟なんて確かにオレにゃ分かんねェ…

……それなら…

何でだ…

何でそこまでして
オレに…

オレに
とっちゃ……

やっとできた
つながりなんだ

…!?

だったらそのつながりを
オレは
断ち切るまでだ！

それなら
なんで
あの時…

…だからオレは
お前を止めるんだってばよ！

144

オレを殺さなかった!?

それで断ち切ったつもりかよ！サスケェ!!

…簡単な理由だ

…

お前とのつながりを断ち切れなかったんじゃない…

ナルト…

お前も オレと同じ万華鏡写輪眼を開眼しうる者だ！

ただしそれには条件がある…

最も親しい友を…殺すことだ

あいつに聞かされたやり方に従って

力を手にするのがしゃくだっただけだ

!?

お前に説明する必要はない…

どういう事だってばよ!?

146

ただお前に言える事は‥‥‥あの時

お前の命はオレの気まぐれで助かっただけだという事だ

‥‥‥！！

‥‥‥‥

‥‥‥‥

速い…

!?

いつの間に…！

……！

…そういやお前には火影になるっていう夢があるんじゃなかったか…？

オレを追い回す暇があったら修業でもしてりゃ良かったのに…

なァ…ナルト

…サ…サスケ君…！

だから今度は…

仲間一人救えねェ奴が火影になんてなれるかよ

そうだろ……

サスケ

フン…

!! !! サスケ君!!

ナンバー
308：
サスケの力！！

その防ぎ方
……正解だったな

ぐっ…

セ…ラ…ン

全身（ぜんしん）から千鳥（チドリ）を…！

今度は私も一緒に！

サスケ君は…私の力で止める！

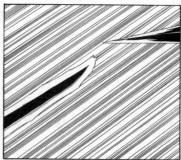

その防ぎ方
…
失敗だったな

ヤマト隊長!!

オレの草薙の剣は少し特別でな

ガード不可ってヤツだ

…体が痺れる

これは…刃に千鳥を流しているのか…?

そうか…それで斬れ味を極端に上げた上に…

斬りつけた後も痺れで動きを…

チチチチ

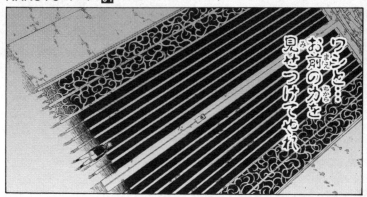

ワシを…
お前の力を
見せつけてやれ

どうした…ウフ
何を躊躇している…

さあ…

ワシの力が
必要なのだろう？

パン

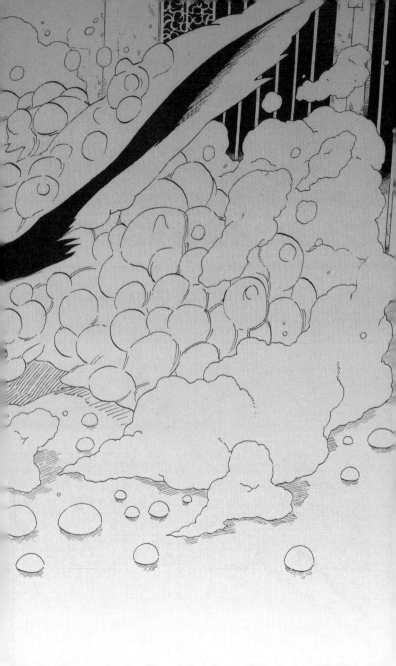

もう…てめーは出てくんな！

………

…うるせェ

オレには もう お前の力なんか必要ねェ…

何を怖がる？

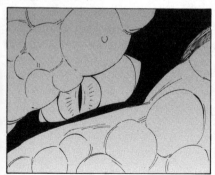

クク…グハハハハ…

今まで事あるごとに"力を貸せ"とぬかしてたのはどこのどいつだ…？

お前は一人では何も出来ん

分かっているハズだぞ

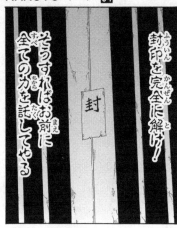

封印を完全に解け！

そうすれば全ての力を託してやるお前に

封

！？

……

失せろ…！

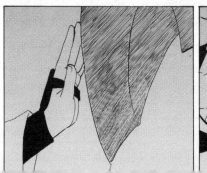

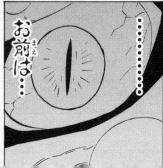

お前は…

……………………

そうか
うちはの者か…

よくここまで
成長したものだ…

どうして
お前が
…!?

今なら
見える…

これがお前の
未知の力だったか
…

まさか…
お前の中に
こんなモノが
いたとはな…

今回のNARUTOオリキャラ最優秀作は、（新潟県 雨さん）に決定!!

雨さんには岸本が描いたイラストの複写にサインを入れてプレゼントします。楽しみに待っててね！

というわけで、引き続きオリキャラ募集中なので、どしどし送って下さいね。待ってます！

※募集は終了いたしました。

宛て先は
〒119-0163
東京都神田郵便局　私書箱66号
集英社 ＪＣ
"ナルトオリキャラ係"まで！

※ただし送るのはハガキだけに限ります。
封書じゃダメだよ🖊

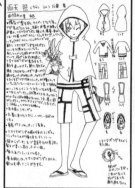

雨天 照〈うてん てる〉16才

▶岸本がイラスト化したのがこれだ!!

[雨天 照（ウテン テル）]

○すごく細かく設定が決まっていて、描くのが楽しそうだったので選びました。

☆なお、デザインはオリジナルに限ります。そしてキャラは全体全身とキャラの名前を描いて下さい。
○応募されました投稿、イラスト等は、一定期間保管されたあと廃棄されます。保存しておきたい場合は、あらかじめコピーをとってからご応募下さい。また、掲載時に、名前や住所等を秘匿したい場合には、その旨を明記して下さい。ご応募いただきました投稿の著作権は、集英社に帰属します。

九尾との対話!!

!?

ナルトの中のウシが見えるまでになるとはな…

忌わしきその写輪眼…今呪われた血統の力という訳か

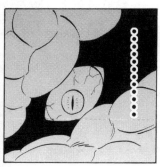

○○○○○○○○○○○○

どうやらこの"眼"…初めてではないらしいな

…なら…

……！？

お前が九尾の妖狐か…

その瞳力とワシ以上に禍々しいチャクラ…

かつてのうちはマダラと同じだな…

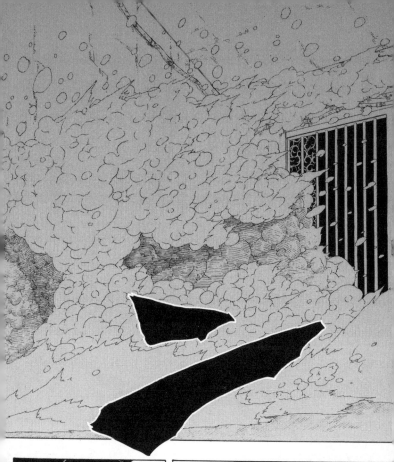

知るか
よ…

そんな奴

!?

…最後になるかも知れんが…一つ…言って…おく…

…………

まさかワシの力を抑え込むまでとはな…

ブワ

シュー

…ナ…ルト…は
…殺す…な

…！

ポフン

…後…悔…
する…ことに…

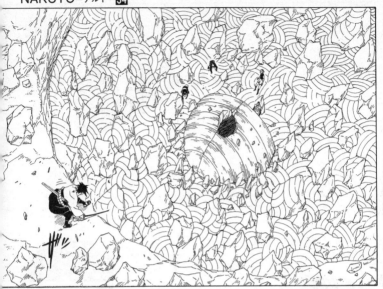

．．．．．．

くっ…

サスケ…

何で
分からねーんだ!!

もうじきお前の体は
大蛇丸にとられちまう
んだぞ!!

そうなったら
…そうなっただ

180

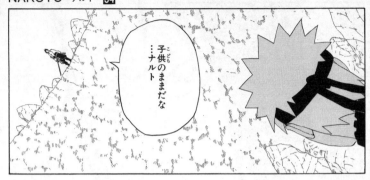

子供のままだな
…ナルト

オレにとっては
復讐が全てだ

復讐さえ叶えば
オレが
どうなろうが

この世が
どうなろうが
知った事じゃない

ハッキリ
言うとだ

イタチは
今のオレでも
大蛇丸でも倒せない

だが大蛇丸に
オレの体を
差し出す事で

それを成し得る
力を手に出来るなら

こんな命<ruby>命<rt>いのち</rt></ruby> いくらでも くれてやる

話は
終わりだ

ナルトと
サクラ…

君たちの手前…
彼に手荒なマネは
したくなかったが
…

ヤマト隊長
…!

悪いがもう
本気でやるよ…

木ノ葉か…

お前たちは
もういい…

終わりだ…

その術は
止めておきなさい…
サスケ君

放せ

‥‥‥‥‥

…止める理由は
ない

こらこら…
大蛇丸様に
向かって
またそんな
口の利き方を…

この木ノ葉の人たちには
"暁"を始末しておいて
もらいたいんだよ

一人でも多くね…

今の
"暁"の動きを
君も知ってる
よね

他の"暁"に
邪魔されると…

君の復讐も
上手くいかなくなる
だろ…

…情けない理由
だな

復讐の可能性を
1％でも上げるため
だよ

そうだろ…？

……

行くわ

パッ

……

……

34 再会の時…!!（完）

忍の道に"臨む"兵"より継がれし鬪いの秘伝!!

忍の章

総計120名の忍が集う!
各キャラクターのプロフィールを大公開!!

レーダー表示でキャラの能力が一目瞭然! 任務経験数や趣味なども一挙公開!! 数多の忍がその真の姿を表す!!

術の章

封じられし108の秘術を開封!!
忍術の極意がここにある!!

基本忍術から超高等忍術まで、鮮烈極まる数々の術を徹底分析!! アイコン表示で系統や特性も明解にッ!!

創の章

岸本斉史先生にインタビュー・Q&Aを敢行! さらにコミックス未収録4コマも掲載!!

岸本先生、完全協力!! 知られざる創作秘話が、ついに明かされるッ!!

豪華絢爛! 充実の企画陣!!

◆「NARUTO-ナルト-」の世界を解き明かす! 忍博聞録
◆読者投票の結果大発表!!
　名シーングランプリ
　隊長になってもらうなら　など
◆美麗! 4色イラストギャラリー
◆ナルティメット人物相関図
◆「NARUTO-ナルト-」言葉集

など

■ジャンプ・コミックス

NARUTO -ナルト-

34 再会の時…!!

2006年8月9日　　第1刷発行
2015年4月21日　　第33刷発行

著　者　　岸　本　斉　史
©Masashi Kishimoto 2006

編　集　　株式会社　ホーム社
東京都千代田区神田神保町3丁目29番　共同ビル
〒101-0051
電話　東京　03(5211)2651

発行人　　鈴　木　晴　彦

発行所　　株式会社　集　英　社
東京都千代田区一ツ橋2丁目5番10号
〒101-8050
　　　　　　　03(3230)6233(編集部)
電話　東京　03(3230)6191(販売部)
　　　　　　　03(3230)6076(読者係)
Printed in Japan

印刷所　　共同印刷株式会社

ISBN4-08-874138-2 C9979